Bir zamanlar bir yazar vardı. Yazar çok korkuyordu.
Ama bir arkadaşı onu hiç yalnız bırakmadı, ona cesaret verdi.
Arkadaşının adı Sarah Goodrich'ti. Sevgili dostum, teşekkürler.
– K. W.

Sonia Chaghatzbanian'a
– J.C.

PEARSON

Türkçe yayın hakları © Pearson Eğitim Çözümleri Tic. Ltd. Şti. Türkiye, 2012
Barbaros Bulvarı No: 149 Dr. Orhan Birman İş Merkezi Kat: 3
Gayrettepe 34349 İstanbul-Türkiye Tel: 0212 288 69 41
iletisim@pearson.com.tr
www.pearson.com.tr

Özgün Adı: Bear Feels Scared
Simon & Schuster Books
An imprint of Simon & Schuster Children's Publishing Division
1230 Avenue of the Americas, New York, NY 10020

Metin © 2008 Karma Wilson
Resimler © 2008 Jane Chapman
Çeviri: Gülbin Baltacıoğlu
Çin'de basılmıştır.

1. Baskı: 2012, 2. Baskı: 2015, 3. Baskı: 2016, 4. Baskı: 2017
ISBN: 978-605-4248-82-7
Sertifika No: 16372

Tombik Ayı Kaybolunca

Karma Wilson

Resimleyen: Jane Chapman

Çeviri: Gülbin Baltacıoğlu

Yiyecek toplamak için uzaklara giden Tombik Ayı,
zamanın nasıl geçtiğini anlamadı.
Rüzgâr savururken yaprakları,
hava soğumaya başladı.

Gelmişti eve dönme zamanı,
ama hâlâ karnı çok açtı.
Yiyecek bulmak için etrafına bakındı.
Soğuktan üşümeye başladı.

Başlamıştı hava kararmaya.
Rüzgâr döndü fırtınaya.

Mağarasından çok uzakta olan

Tombik Ayı,
başladı korkmaya.

Fırtına hızlandıkça çoğaldı sesler ormanda.
Tombik Ayı irkildi korkuyla.
Saklandı bir ağacın arkasına,
Seslendi: “Kim var orada?”

Fırtına kattı tozu dumana,
başladı hava iyice kararmaya.
Ne yapacağını bilemeyen Tombik Ayı,
kaybolmuştu ormanda.

Zavallı Tombik Ayı!

Şimdi ne yapacaktı?

Tombik Ayı

çok

korkuyordu.

Hava kararınca,

başlamıştı arkadaşları telaşlanmaya.

Tombik Ayı yoktu ortalıkta.

Neredeydi acaba?

“Çok geç oldu.” dedi Fare,
“Tombik Ayı kalmazdı bu saate.”
“Fırtına çıktı.” dedi Tavşan.
“Tombik Ayı dönmeliydi çoktan.”

Karar verdiler aramaya
Tombik Ayı'yı ormanda.
Neredeydi Tombik Ayı acaba?

Başladılar hazırlanmaya.
Birbirlerini kaybetmemek için fırtınada,
ip bağlayıp bellerine
kenetlendiler birbirlerine.

Tombik Ayı yapayalnızdı ormanda.
Çok pişmandı mağarasından bu kadar uzaklaştığına.
Dönmeliydi hava kararmadan,
hem de fırtına çıkmadan.

Tombik Ayı titriyordu soğukta,
keşke arkadaşları olsaydı yanında.

Tombik Ayı
çok çok
korkuyordu.

Porsuk yaktı bir lamba,
seslendi arkadaşlarına:
“Haydi gelin bu tarafa,
başlayalım Tombik Ayı’yı aramaya.”

Bulabilmek için bir an önce
Tombik Ayı'yı karanlık gecede,
başladılar ormanda ilerlemeye.

“Tombik Ayı neredesin?”

diye bağırdı arkadaşları.

Onu bir an önce bulmaktı amaçları.

Tombik Ayı dikti kulaklarını havaya.
Bu, arkadaşlarının sesi miydi yoksa?
“Buradayım!” diye bağırsa,
duyarlar mıydı onu acaba?

Çalıkuşu, Karga ve Baykuş
gördüler Tombik Ayı'yı ağaçların arasında.
Seslendiler arkadaşlarına:
"Tombik Ayı! Seni bulduk sonunda."

Ağaçların arasına saklanmıştı Tombik Ayı.
Kapatmıştı gözlerini, görmedi arkadaşlarını.

Arkadaşları gelip ona sarıldığında
Tombik Ayı baktı onlara mutlulukla.
Güvendeydi artık şimdi.
Arkadaşlarla olmak ne güzeldi.

Birlikte döndüler mağaraya,
geldiler yeniden bir araya.
Anlattı başından geçenleri Tombik Ayı,
uyumak üzereyken arkadaşları.

Birbirlerine sarıldılar, güzel rüyalara daldılar.
Tombik Ayı sonunda güvendeydi.
Onu seven arkadaşlarının olması ne güzeldi.